在纪念万里同志诞辰100周年座谈会上的讲话

（2016年12月5日）

习 近 平

人 民 出 版 社

在纪念万里同志诞辰100周年座谈会上的讲话

（2016年12月5日）

习　近　平

同志们，朋友们：

今天，我们怀着崇敬的心情，在这里隆重集会，纪念万里同志诞辰100周年，缅怀他为我国革命、建设、改革事业作出的卓越贡献，追思他的革命精神和崇高风范，激励全党全国各族人民为夺取中国特色社会主义新胜利、实现中华民族伟大复兴的中国梦而努力奋斗。

万里同志是中国共产党的优秀党员，久经考验的忠诚的共产主义战士，杰出的无产阶级革命家、政治家，党和国家的卓越领导人，曾担任中国共产党第十一届、十二届中央书记处书记，第十二届、十三届中央政治局委员，国务院副总理，第七届全国人民代表大会常务委员会委员长。在70多年革命生涯中，万里同志把自己的全部精力贡献给了党和人民，为中华民族独立和解放、为社会主义革命和建设、为改革开放和社会主义现代化建设事业建立了不朽功勋。

万里同志1936年5月加入中国共产党，从此走上革命道路。革命战争年代，万里同志积极从事根据地和解放区建设工作，为夺取新民主主义革命胜利作出了积极贡献。抗日战争时期，万里同志积极发展地下党员，成立抗日团体，创办抗日报刊，广泛宣传党的抗日救亡主张，组织人民群众团结抗日。在敌后抗战最艰苦的时期，万里同志创建并坚持了运西抗日根据地，领导当地军民反“扫荡”、反“蚕食”，有力促进了冀鲁豫地区抗日战争胜利。解放战争时期，万里同志参与领导冀鲁豫地区人民群众积极参军参战、组织生产、支援前线，有力支援了刘邓大军千里跃进大别山、实现解放战争的伟大战略转折。他到黄河以南地区工作，参与领导当地军民为巩固、扩大解放区进行了艰苦卓绝的斗争。

新中国成立后，万里同志在大西南工作期间，积极探索当地工业发展道路，为西南地区工业生产恢复和发展做了大量卓有成效的工作。他在担任城市建设部部长等职务期间，深入实际，调查研究，加强和改进城市规划工作，反对城市建设中急躁冒进的倾向，强调城市建设要同工业建设及其他经济文化建设相协调，积极推动“一五”时期工业建设和重点工业城市有计划有秩序发展。在北京市工作期间，他协助周恩来总理负责国庆10周年献礼工程建设，带领广大干部职工，坚持古为今用、洋为中用，精心设计，精心施工，仅用不到一年时间就完成人民大会堂等北京“十大建筑工程”建设任务，创造了世界建筑史上的奇迹。毛泽东同志称赞他“别人日行千里，而你是日行万里”。

“文化大革命”中，万里同志受到严重迫害。他对林彪、江青反革命集团的倒行逆施深恶痛绝，以实际行动进行抵制和斗争。1975年，万里同志在担任铁道部部长等职务期间，坚决支持邓小平同志提出的实行全面整顿、把铁路系统作为整顿突破口的主张，提出实现“四通八达，畅通无阻，安全正点，当好先行”的目标，坚决反对和制止派性，坚持整顿领导班子、健全规章制度、狠抓铁路运输秩序，迅速扭转了铁路系统的混乱局面。

在改革开放新的历史时期，万里同志勇当改革先锋和闯将，为探索中国特色社会主义道路作出重大贡献。在安徽工作期间，万里同志深入基层，走村串户，体察民情，采取果断措施拨乱反正。他重视农业生产，关心农民疾苦，提出农村工作以生产为中心，勇敢探索发展农业生产、改善农民生活、转变农村面貌的新路子。他大力支持和推广肥西县“包产到户”和凤阳县小岗村“包干到户”的做法，推动全省农业管理体制变革。万里同志领导的安徽农村改革，是对社会主义经济制度的一次艰辛和成功的探索。

在担任中央书记处书记、国务院副总理等职务期间，万里同志解放思想、实事求是，提出改革农村生产经营体制，领导起草了 5 个中央 1 号文件，经党中央研究批准后下发，推动了农村改革不断深入。他参与领导经济体制改革，积极推动政治、科技、教育、文化等其他各方面改革。他坚持把转变机制、调动广大劳动者积极性作为改革的指导思想，强调尊重价值规律、发展商品经济，提出贯彻各尽所能、按劳分配的社会主义分配原则。他积极探索以增强企业活力为中心环节的经济体制改革，支持企业实行经济责任制。他大力倡导社会主义民主法制建设，强调发展民主与健全法制是我们国家的一件根本大事。

在担任全国人大常委会委员长职务期间，万里同志强调要贯彻党在社会主义初级阶段的基本路线，履行宪法法律赋予的职责，提出要把“保证和促进改革”作为人大的首要职责，把加强社会主义民主法制建设作为人大的中心任务。他高度重视社会主义民主政治建设，强调发扬社会主义民主是政治体制改革的重要方面，主张通过改革一步一步使我国社会主义民主政治走向制度化、法律化。他高度重视立法工作，强调要适应社会主义现代化建设和改革开放的需要加强立法工作，保障社会主义市场经济发展。他高度重视人大监督工作，提出要把对法律执行情况的监督检查同制定法律放在同等重要的地位，明确执法检查是人大履行监督职责的重要形式，对促进法律实施起到了积极作用。从领导岗位上退下来以后，他仍然关心党和国家事业发展，坚决拥护支持党中央领导，积极关注中国特色社会主义伟大事业。

同志们、朋友们！

在我们党走过的95年光辉历程中，涌现出一代又一代优秀中国共产党人，万里同志就是其中一位杰出代表。他的一生，是革命的一生、战斗的一生、全心全意为人民服务的一生，是追求真理、追求进步、为共产主义事业奋斗的一生。他为祖国和人民建立的功绩值得我们铭记，他的革命精神和崇高风范值得我们学习。

——我们纪念万里同志，就是要学习他坚定理想、坚守信仰的崇高精神。万里同志从青年时代就志存高远，关心国家和民族前途命运，一心寻求救国救民的真理。经过深入思考和探索，他确立了对马克思主义的信仰，树立起共产主义远大理想，加入了中国共产党。在他革命和战斗的一生中，万里同志坚守马克思主义信仰、坚持共产主义理想信念，对中国特色社会主义充满信心。1994年，已经退出党和国家领导岗位的万里同志饱含深情地说："萦回于我心中的，不是中国已有的成就和变化，而是下一个世纪的呼唤。我们一定要进一步提高综合国力和人民的生活水平，使新中国更加富裕、更加繁荣、更加强盛，成为具有高度物质文明、高度精神文明和高度民主、法制的社会主义现代化国家，从而对人类做出应有的较大的贡献”。

理想因其远大而为理想，信念因其执着而为信念。我们要保持在理想追求上的政治定力，深入学习马克思列宁主义、毛泽东思想、邓小平理论、“三个代表”重要思想、科学发展观，深入学习党的十八大以来党中央治国理政新理念新思想新战略，以真理武装头脑、指引理想、坚定信仰，不断把为崇高理想奋斗的伟大实践推向前进。

——我们纪念万里同志，就是要学习他忠诚于党、坚持真理的坚强党性。万里同志一生忠于党、忠于人民、忠于共产主义事业，毫不动摇坚持党的领导，坚信中国共产党的领导是中国特色社会主义制度的最大优势，是全国各族人民利益所在、幸福所在。他旗帜鲜明指出：“没有一个用马克思主义基本理论武装起来的、全心全意为人民服务的党，没有这样的党的领导，革命不会成功，建设也不会搞好。”他坚决贯彻执行党的十一届三中全会以来的路线方针政策，坚定不移在思想上政治上行动上同党中央保持高度一致。他坚决维护党和国家安定团结的政治局面，维护社会秩序和稳定，强调要处理好改革发展稳定关系。他一生坚持原则，顾全大局，遵守党的纪律，维护党的团结，多次指出“组织纪律性，这是我们的优良传统”。

中国共产党人的坚强党性，是我们党保持先进性和纯洁性、提高领导水平和执政能力的重要保证。我们一定要自觉坚持和维护党的领导，增强政治意识、大局意识、核心意识、看齐意识，自觉站在党和人民立场上，做到对党忠诚、为党分忧、为党担责、为党尽责，经受住历史和人民检验。

——我们纪念万里同志，就是要学习他实事求是、勇于探索的开拓精神。万里同志坚持实践是检验真理的唯一标准，一切从实际出发。改革开放之初，他明确指出：“对于具体情况作具体分析是马克思主义的最本质的东西、马克思主义的活的灵魂。毛泽东思想就是把马克思列宁主义同中国革命具体实践相结合的产物。”他强调：“实现四个现代化是一场伟大深刻的革命，必然会出现大量我们完全不熟悉的、预料不到的新情况和新问题。对于这些新情况和新问题，在马克思主义经典著作和党的历史文件中不可能找到现成的答案。这就要求我们坚持马克思主义的思想路线，就是坚持实践是检验真理的唯一标准，坚持实事求是、一切从实际出发、理论同实践相结合这一根本原则，就是把马克思主义的基本原理同中国社会主义现代化建设这个新的伟大的具体实践紧密结合起来，研究新情况，解决新问题，总结新经验，不断前进。”

实践发展永无止境，认识真理、进行理论创新也永无止境。我们要坚持与时俱进，深入推动马克思主义基本原理同当代中国实际和时代特征相结合，努力开创事业发展新局面、马克思主义发展新境界。

——我们纪念万里同志，就是要学习他锐意改革、攻坚克难的政治担当。万里同志坚决拥护、全面贯彻改革开放方针，以坚忍不拔的毅力推进改革。他强调“只有改革才有出路”，指出“我们的改革是探索性的，改革会有成功，也有可能失败”，“准许改革不成功，但不准许不改革”。他语重心长告诫同志们，“工作中怕这怕那，缺乏敢想、敢干的精神，很不适应现代化的要求”，“必须既有清醒的头脑，又有坚定不移的决心和信心，不断排除干扰，不怕困难，才能把改革坚持下去”。在安徽工作期间，万里同志率先推进农村改革。面对来自各方面批评和压力，他强调“能叫农业增产就是好办法，能叫农民、集体、国家都增加收入就是好办法”。邓小平同志说，中国改革始于农村，农村改革始于安徽，万里同志是有功的。

改革开放是当代中国最鲜明的特色，是我们党在新的历史时期最鲜明的旗帜。面对新形势新任务，我们要坚定不移高举改革开放旗帜，勇于全面深化改革，着力解决我国发展面临的一系列突出矛盾和问题，不断推进中国特色社会主义制度自我完善和发展。

——我们纪念万里同志，就是要学习他尊重人民、依靠人民的人民立场。万里同志坚持全心全意为人民服务的根本宗旨，尊重人民首创精神，认为“一切新的创造归根到底都是来源于群众的实践”。他工作作风踏实，身体力行，深入基层，深入群众，强调“关起门来写文件是不行的”，“要从几亿农民的实践中，从他们从事农林牧副渔的生产斗争中，总结先进的增产经验，好的管理经验，写到文件中去”。他对人民群众怀有深厚感情，深情地说：“是群众和群众的斗争实践哺育了我，锻炼了我，这使我时刻牢记自己是人民的公仆，同群众在一起做了一些应该做的事情。我认为，个人是微不足道的，群众才是历史的创造者。”

人民立场是我们党的根本政治立场，群众路线是我们党的生命线和根本工作路线。我们要坚持一切为了人民、一切依靠人民，实现好、维护好、发展好最广大人民根本利益，充分发挥广大人民群众积极性、主动性、创造性，确保党始终同人民同呼吸、共命运、心连心，不断把为人民造福事业推向前进。

——我们纪念万里同志，就是要学习他严于律己、勤政廉政的优良作风。万里同志时刻按照党章党规党纪严格要求自己，坚决反对那种“一大群人簇拥”，“真正的老百姓到不了跟前，听到的都是那些‘莺歌燕舞’的大好形势”的官僚主义做派，强调“对于官僚主义作风，要敢于碰硬，敢于批评，带头克服”。他对腐败现象和不正之风深恶痛绝，强调“反对腐败，要提高到保卫社会主义、保卫我们党的高度来认识。这个问题关系到国家兴衰存亡，关系到我们党能不能领导社会主义建设，有没有资格领导现代化。我们党是执政党，一定要把反腐败斗争进行到底，把监督工作抓到底”。退休后，他给自己定了三条规矩：不参加剪彩、奠基等活动，不担任名誉职务，不写序言不题词。

党的作风正，人民心气顺，党和人民就能同甘共苦。我们要坚持严字当头，持之以恒加强作风建设，坚持和发扬党的光荣传统和优良作风，永葆共产党人拒腐蚀、永不沾的政治本色，凝聚起推动党和人民事业不断从胜利走向胜利的强大力量。

同志们、朋友们！

当前，我们党正带领人民走在实现“两个一百年”奋斗目标、实现中华民族伟大复兴中国梦的新长征路上，老一辈革命家为之奋斗的伟大事业和美好理想正在一步步实现。让我们继承和发扬先辈们的革命精神和崇高风范，不忘初心、继续前进，努力创造无愧于时代、无愧于人民的新业绩！

图书在版编目(CIP)数据

在纪念万里同志诞辰100周年座谈会上的讲话/习近平 著. —北京:
人民出版社,2016.12
ISBN 978-7-01-017165-4

Ⅰ.①在… Ⅱ.①习… Ⅲ.①习近平-讲话 ②万里(1916—2015)-
生平事迹 Ⅳ.①D2-0 ②K827=7

中国版本图书馆CIP数据核字(2016)第298381号

(RMC-ZJDXI-046-20161205)

在纪念万里同志诞辰100周年座谈会上的讲话

ZAI JINIAN WANLI TONGZHI DANCHEN 100 ZHOUNIAN
ZUOTANHUI SHANG DE JIANGHUA

(2016年12月5日)

习 近 平

人民出版社 出版发行
(100706 北京市东城区隆福寺街99号)

北京新华印刷有限公司印刷 新华书店经销

2016年12月第1版 2016年12月北京第1次印刷
开本:880毫米×1230毫米 1/32 印张:0.5
字数:6千字

ISBN 978-7-01-017165-4 定价:2.00元

邮购地址 100706 北京市东城区隆福寺街99号
人民东方图书销售中心 电话 (010)65250042 65289539